CHICAGO PUBLIC LIBRARY

D1287186

el libro de los Miedos

JUV/ Sp RC 535 .M53 2004
Michelena, Corina.
El libro de los miedos
/

Chicago Public Library
Vodak/East Side Branch
3710 E. 106th St.
Chicago, IL 60617

cyls
Editores

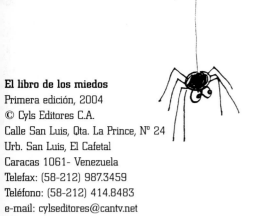

El libro de los miedos
Primera edición, 2004
© Cyls Editores C.A.
Calle San Luis, Qta. La Prince, Nº 24
Urb. San Luis, El Cafetal
Caracas 1061- Venezuela
Telefax: (58-212) 987.3459
Teléfono: (58-212) 414.8483
e-mail: cylseditores@cantv.net

Edición dirigida por
Jeanette León

Dirección de colección y dirección creativa
Aquiles Esté

Coordinación editorial
Rafael Rodríguez Calcaño

Revisión y corrección general
Silda Cordoliani

Diseño gráfico
Elena Terife / Natalie Flores

Texto e ilustración
Corina Michelena

Digitalización
Digigraph C.A.

Hecho el depósito de ley
Depósito legal Nº IF8302003800463

Impresión: *D'VINNI* ⟨V⟩

Catalogación en fuente

Michelena, Corina
    El libro de los miedos / [texto, Corina Michelena] —
Caracas : CYLS Editores, 2004 — (Colección clave. Serie persona)

    1. Miedo — Literatura juvenil.
2. Fobias — Literatura juvenil.

152.4
M623

ISBN 9806573005

El libro de los Miedos

En este libro encontrarás...

EAS

	pág
El miedo tiene historia	2
¿Miedo?	4
Miedos «es-pan-to-s.o.s.»	6
¿En cuánto tiempo se propaga la epidemia del miedo?	8
¿Conoces a alguien que se desmaye cuando ve unas pantuflas?	10
Guarida preferida del miedo	12
¿Miedo a sol y sombra?	13
«Aquí el miedo... llamando al sistema límbico, cambio y fuera»	14
El buen miedo	16
El miedo que nos gusta	18
¿Por qué hay valientes que soportan las películas de terror?	20
Miedos medianos	24
Mitos y bestias	26
Habitantes de los cuentos	28
Conjuros	30
Palabras clave	32

El miedo tiene historia

a.C. = antes de Cristo
d.C. = después de Cristo

Edad Antigua

(desde el siglo V a.C.
hasta el siglo V d.C.)

- A la esclavitud
- A tener que trabajar en la
construcción de una pirámide
o de la Muralla China
- A vivir en Troya
a la llegada
de los aqueos

- A ser envenenado
por un familiar
- A disgustar a los dioses
- A ser perseguido por profesar
la fe cristiana
- A ser devorado por un león
en el Circo Romano

Prehistoria

(desde la aparición del hombre
hasta el siglo V a.C.)

- A los tigres de Bengala
y a los mamuts
- A que se escape la presa
- A que no haya suficientes
mujeres
- A los ataques de otras tribus
- A las diversas manifestaciones
de la naturaleza: la noche,
el sol, la lluvia, los rayos,
los truenos, los eclipses, etc.

Edad Media

(desde el siglo V
hasta el siglo XV)

- A la peste
- A los dragones
- A los gigantes
- A tomar un baño
- A ser una princesa
y no ser rescatada
por un caballero andante
- A las madrastras
- Al infierno
- A ser quemado por hereje
- A las brujas
- A disgustar a los reyes

Hay miedos persistentes y testarudos como el miedo a los muertos, a las catástrofes naturales o a hacer el ridículo. Hay otros que aparecen, se van o atenúan de acuerdo a las distintas épocas y culturas, como el miedo a la oscuridad, que languidece con la llegada de la luz eléctrica (siempre que en tu casa hayan pagado la factura, claro está).

Edad Contemporánea

(desde el siglo XIX hasta el presente)

- A uno mismo
- A las guerras mundiales
- A las armas atómicas, químicas y biológicas
- A que se te meta un virus en el ordenador o en el cuerpo
- A que pierda tu equipo de fútbol favorito
- A los delincuentes
- Al SIDA
- Al terrorismo
- A la superpoblación
- A la extinción de las plantas y los animales
- Al poder incontrolado de la tecnología
- A quedarte encerrado en un ascensor
- A que por no pagar la factura de la luz, vuelvas a la oscuridad, y quedarte sin TV, Internet y qué sé yo

Edad Moderna

(desde el siglo XV hasta el siglo XIX)

- A morir en el océano
- A lo que no sea científicamente comprobable
- A la tuberculosis
- A que te vean sin peluca
- Al mal aliento
- A la guillotina
- A disgustar a los tiranos

¿Miedo?

A veces, ¿te erizas,
tienes la típica «piel de gallina»,
se te agrandan las pupilas y transpiras?
Entonces... bienvenido al reino del miedo.
El miedo es la respuesta que damos
ante un mal o un peligro, ya sea real o imaginario, verdadero o falso.
Es una emoción universal, porque lo sentimos todos los seres humanos,
pero la intensidad con que se percibe y las circunstancias en que
se produce varían mucho de acuerdo al lugar, a si estás solo
o acompañado, o si es de día o de noche. Los motivos para sentirlo
también pueden variar de una cultura a otra, y puede ser que
a un chino no le den miedo las mismas cosas que a ti.

Los pintubi, aborígenes de Australia, utilizan la palabra *kunta* para significar a la vez vergüenza, respeto, timidez y miedo.

Las cuatro emociones básicas en los seres humanos son:

 miedo,

rabia,

 dolor

y amor.  Tenemos que conocer nuestras emociones para conocernos a nosotros mismos.

Sabías que...

Las palabras son como esas cajas chinas de numerosos cajones; en una misma palabra caben muchas otras.
En la palabra «animales» entran las palabras: jirafa, mono, mosca, ballena, etc.
El miedo es una caja china llena de cajones secretos que puedes descubrir.

¿Intimidar es decir cosas íntimas?

Intimidar consiste en valerse del poder o la fuerza para acobardar o agredir a otros. Las víctimas de la intimidación se sienten normalmente indefensas o incapaces de pedir ayuda a otros.

Miedos «es-pan-to-s.o.s.»

El dios Pan
—que no es el dios
de las panaderías—
era mitad hombre
y mitad animal; tenía
cuernos, patas de macho cabrío
y un mal carácter que se manifestaba
cuando lo despertaban de la siesta.
Fueron los griegos quienes
inventaron a Pan; más tarde,
otras religiones encontraron
que la repelente pinta del dios
podía servir para representar
al demonio. La palabra pánico
proviene del término «pan»,
que significa «todo».

El nacimiento de Pan

El dios griego Hermes se enamoró
de una ninfa; de su unión nació
una criatura mágica, provista
de patas y cuernos de cabra,
que alardeaba y se reía.
Cuando lo hubo parido
su madre dio un salto y huyó,
sin encargar a alguien que
amamantara al niño,
de lo aterrada que se sintió
con sólo ver su salvaje
y barbado rostro. Hermes tomó
a su hijo, lo envolvió en una
piel de conejo y rápidamente
lo llevó al Olimpo.

Karl Kerényi

El pánico se siente sobre todo
ante catástrofes naturales
tales como terremotos,
incendios o inundaciones.

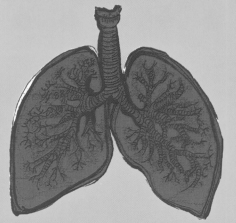

Si:
-Tu corazón se acelera
 y parece que quiere salírsete
 del pecho.
-Tu respiración se agita.
-Transpiras abundantemente.
-Tienes temblores.
-Se te quita el apetito o te da
 un hambre desenfrenada.
-Te da diarrea.
-Te desmayas.
Entonces, ¡tienes pánico!

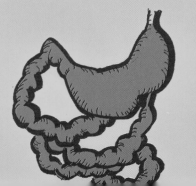

Si 450.000 personas asisten a un concierto de tu grupo de rock predilecto y a un ocioso tarambana se le ocurre gritar: «¡Fuego!», ¿te imaginas cuántos segundos pueden pasar antes de que la multitud se contagie de miedo? En pocos segundos el pánico colectivo puede propagarse y provocar una tragedia.

Lo más ruin de nuestra naturaleza aparece: corremos, gritamos, lloramos y cada una de las 450.000 personas no piensa más que en salvar su pellejo, aunque tenga que pisotear a otros. Si la música unía a la multitud, la exclamación «¡Fuego!» la separa.

Sabías que...

Según los especialistas, el miedo colectivo pasa por cuatro fases: desesperación, impotencia, pánico e irracionalidad.

Para prevenir cualquier estampida provocada por el miedo, cuando estés en un lugar donde haya muchas personas, fíjate dónde se encuentran las salidas. Si estás con tus padres, ¡agárrate con fuerza de su mano!

salida de emergencia

Ese «alguien» sufre de fobia
a las pantuflas: los fóbicos
sienten un miedo incontrolable
e irracional hacia un objeto
o situación muy precisos.
Habrá quien sienta fobia a los pianos,
a los ascensores, a los aviones, a las arañas, etc.
La verdadera causa de estos miedos
es inconsciente, es decir, no podemos
conocerla o explicarla: temer a un león
resulta lógico, temer a un piano no.
Sucede que el piano, en este caso, oculta
eso a lo que en verdad tememos y, aunque
parezca mentira, a veces es más fácil para
quien sufre de esa fobia andar por el mundo
torturado pensando que puede toparse con un piano,
que admitir el pánico que le producen sus intensas emociones,
¡así de complejo es el ser humano!
La fobia no se cura con aspirinas, regaños o consejos;
lo ideal es consultar a un especialista.

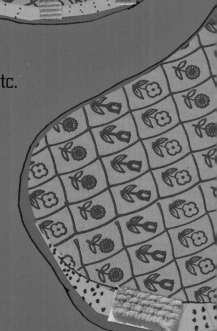

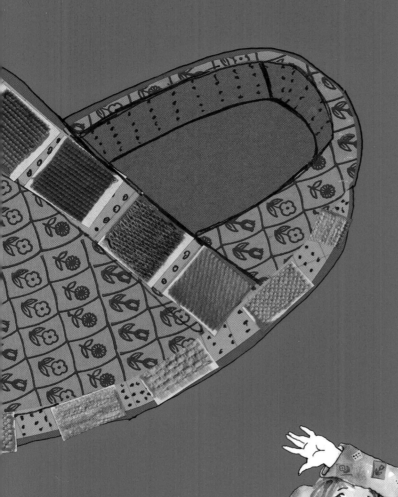

Manual
de fobias horripilantes

Estrangulofobia: pánico de ir solo por una calle oscura y de pronto agarrarse uno mismo por el cuello y empezar a estrangularse hasta caer desfallecido.

Patifobia: pánico de arroparnos hasta la cabeza y sentir que los pies se nos salgan de la cobija.

Animofobia: terrible pánico de clavarle el tenedor a un bistec y que de pronto el pedazo de vaca se queje de dolor y salga del plato tratando de escaparse.

Solifobia: pavor de ver que nuestra sombra se va alejando y alejando y se escapa corriendo, dejándonos solos mientras caminamos en un atardecer.

Lengüifobia: miedo de que un día al tratar de comunicarnos con los demás nadie nos entienda y nos respondan en finlandés antiguo.

Necrofobia: pavor de que un día al abrir el periódico veamos la invitación a nuestro entierro.

Otrova Gomas

Guarida preferida del miedo

Si despiertas a medianoche, ¿recuerdas la dentadura de un pastor alemán o una invasión extraterrestre? Cada cual tiene sus miedos y la noche es un paisaje excelente para sacarlos a pasear.
La oscuridad hace amenazantes las cosas más inofensivas.
Un pantalón tirado en el suelo puede parecer un fantasma descansando o un dragón desinflado. Los ruidos también cambian, ¿acaso una simple gotera no puede sonarnos como los pasos de un fantasma?

Hablando de fantasmas...

—¡Qué extraño! —dijo la muchacha avanzando cautelosamente—. ¡Qué puerta más pesada!
—¡Dios mío! —dijo el hombre—. Me parece que no tiene picaporte del lado de adentro. ¡Como que nos han encerrado a los dos!
—A los dos no. A uno solo —dijo la muchacha.
Pasó a través de la puerta y desapareció.

I. A. Irelan

¿Miedo a sol y sombra?

El hombre prehistórico ignoraba las leyes físicas del universo;
pensaba que un día el sol podría negarse a salir. Entonces,
comenzó a temerle y rendirle culto como a un dios.
Otros pueblos, en cambio, consideraban que en la sombra
proyectada por sus cuerpos se encontraba concentrada la maldad.
El hombre, todavía hoy, pone sus miedos fuera de sí mismo:
en el sol, en la sombra, en un perro o en los problemas
del mundo; sin ese peso va más cómodo.

El cerebro cuenta con el sistema límbico, encargado de distribuir los mensajes de nuestras emociones y enviarlos a la dirección indicada. ¿Creías que el hipocampo era el lugar donde se celebraban las competencias de hipo? ¡Pues no!, es el almacén de recuerdos del cerebro; allí se guardan y de allí se recuperan.

Las fobias tienen correo privado y envían sus mensajes al hipocampo. El miedo común los envía directamente a la glándula amígdala, ubicada en la parte posterior del cerebro.

El miedo produce un proceso rápido en el cerebro. La ansiedad provoca una reacción más lenta pero más perdurable.

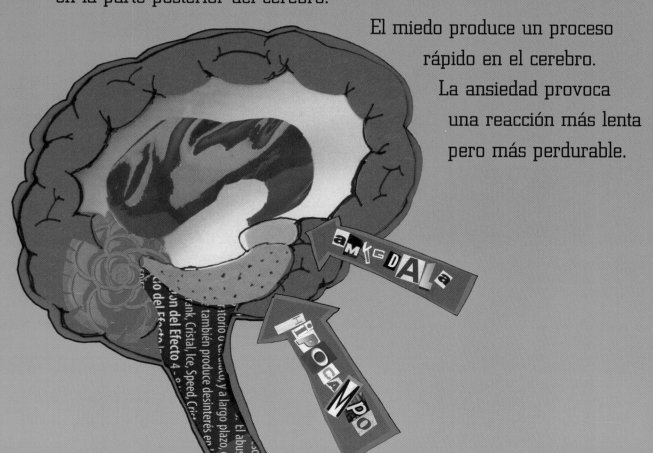

ímbico, cambio y fuera»

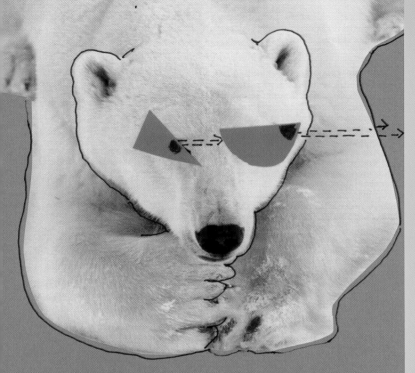

Sabías que...

Al experimentar una emoción, las personas reaccionamos de distintas maneras: si sentimos rabia, tendemos a atacar; si sentimos miedo, solemos huir.

El hombre y los demás animales vertebrados poseen un sistema nervioso que, ante a un cambio en el ambiente, les permite decidir aproximarse o alejarse. Si la extrañeza es extrema, el animal tiende a huir impulsado por el miedo; en cambio, si es moderada, quizás despierte su curiosidad y se acerque.

500 Kg

Bajo el estímulo del miedo la adrenalina actúa como un latigazo —acelera el corazón, agudiza los sentidos— y nos permite realizar formidables esfuerzos físicos; si no actuamos en el momento, la reacción es opuesta, el horror nos invade y paraliza.

El buen miedo

El miedo saludable es un miedo justo. Su mayor virtud consiste en avisarnos de peligros reales y así, evitar las consecuencias negativas. Se trata de un miedo adecuado y lógico que nos permite reaccionar con precisión. La palabra «alarma» surge de la expresión antigua «a las armas». Quien siente ese miedo echa a correr, piensa, buscar refugio, pide auxilio, o, en efecto, usa armas de verdad. Se recomienda ampliamente usar armas de verdad cuando un tiranosaurio amenaza con saborearnos en la merienda.

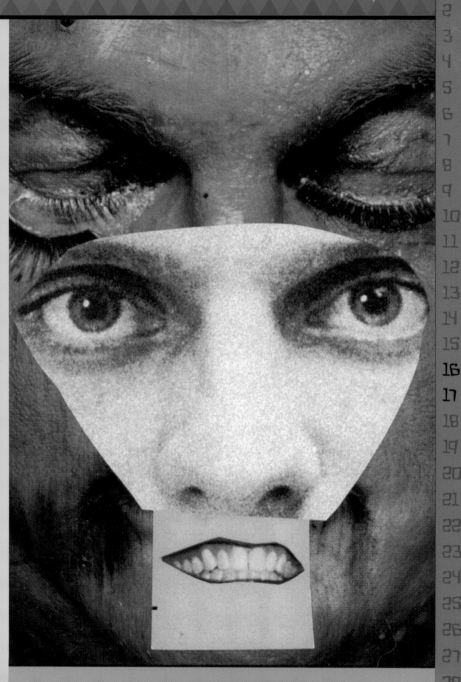

Para que veas…

La tribu de los Ifaluk
no tiene miedo de hablar del miedo;
el miedo les parece estupendo,
y la cobardía señal inequívoca
de personas bondadosas.
Para ellos, aquel que nunca
siente miedo será porque nada
le importa; y a quien nada le importa,
no lo perturban las injusticias;
y a quien no lo perturban
las injusticias, se olvida
de sus semejantes;
y quien se olvida de sus semejantes
también puede olvidarse de las leyes;
y quien se olvida de las injusticias,
sus semejantes y las leyes,
puede cometer delitos.
Así, después de esta cadena
de asociaciones, sin duda,
será de buena educación
mostrar miedo cuando
estemos entre los Ifaluk.

Reconocer que a veces sentimos miedo,
celos, envidia, deseos de pegarle a alguien
o de ser muy egoístas, es cosa de
insignes valientes.

Muchos vamos al cine a exponernos
voluntariamente a los efectos del terror,
como si nos gustara quedar patitiesos,
inmovilizados y agarrotados.
Claro, todos sabemos que las películas
son meras ficciones que no forman parte
de la realidad y que tan pronto termine
la proyección regresaremos a casa
como si nada hubiese pasado.
   ¿O no?

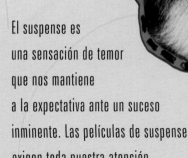

El suspense es
una sensación de temor
que nos mantiene
a la expectativa ante un suceso
inminente. Las películas de suspense
exigen toda nuestra atención
y tensión, de allí su éxito.

El terror y el horror
son miedos de gran
intensidad. El terror es
un gran miedo ante un mal
o peligro inminente, mientras
que el horror es una invencible
repugnancia y temor que
se produce ante algo terrible,
una atrocidad o monstruosidad.

El **miedo** que nos **gusta**

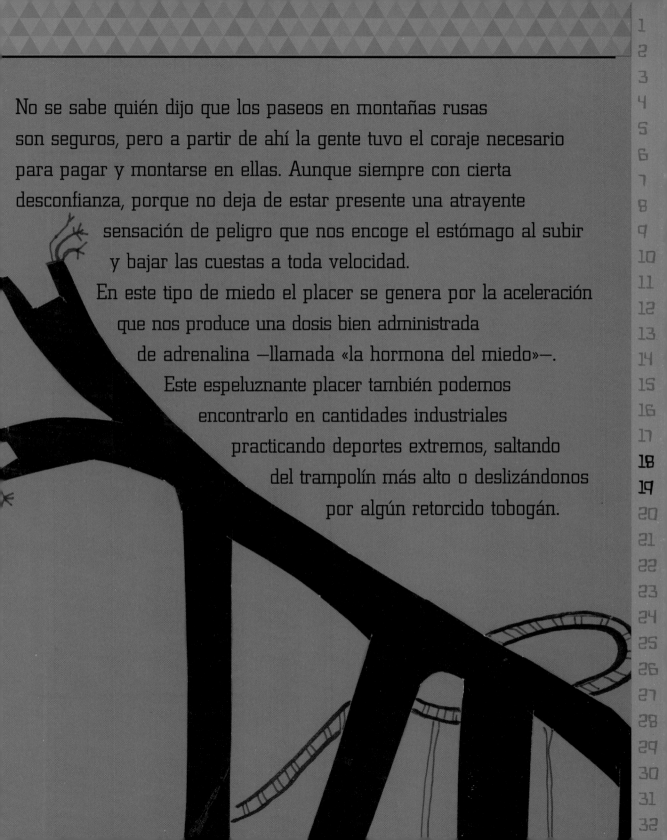

No se sabe quién dijo que los paseos en montañas rusas
son seguros, pero a partir de ahí la gente tuvo el coraje necesario
para pagar y montarse en ellas. Aunque siempre con cierta
desconfianza, porque no deja de estar presente una atrayente
sensación de peligro que nos encoge el estómago al subir
y bajar las cuestas a toda velocidad.
En este tipo de miedo el placer se genera por la aceleración
que nos produce una dosis bien administrada
de adrenalina —llamada «la hormona del miedo»—.
Este espeluznante placer también podemos
encontrarlo en cantidades industriales
practicando deportes extremos, saltando
del trampolín más alto o deslizándonos
por algún retorcido tobogán.

Tres tristes monstruos tradicionales

Tres de los personajes predilectos para hacer películas hórridas son el hombre lobo, Frankenstein y, por supuesto, los vampiros.

Frankenstein

La escritora Mary Shelley escribió *Frankenstein o el nuevo prometeo* en 1819. La novela habla del insensato proyecto de extraer órganos de varios muertos para reconstruir un vivo perfecto.

Los hechos sombríos en la vida de Mary Shelley no se hicieron esperar: apenas nació, murió su madre y, desde que tuvo edad suficiente, iba todos los días a su tumba a contarle historias de su invención; posiblemente fue una forma creativa de transformar sus miedos. Escribió *Frankenstein* para ganar una apuesta a su hermanastra Clarisse y nunca recibió reconocimientos por sus novelas.

El hombre lobo

Se dice que el hombre lobo se inquieta y sufre la metamorfosis sobre todo en las noches de luna llena; entonces sale a recorrer calles y bosques. Su víctima puede morir de algo peor que la rabia y el único modo de defenderse es dispararle una bala de plata.

En 1924 se rodó el primer *film* del hombre lobo; no causó mucho espanto porque era una película muda.

Vampiro

Se dice que en la antigüedad aquel que sufría de hemofilia (falta de hemoglobina) no dudaba en beber sangre —aunque fuese intragable— de carneros y niños recién nacidos. En el caso de los vampiros, éstos la beben para alcanzar la inmortalidad.

La leyenda de Drácula tiene su origen en el siglo XV, en la persona del príncipe rumano Vlad Tspech Drácula, apellido que proviene de *Draco* o «dragón de la guerra». En vida, los turcos le hicieron prisionero y sobrevivió comiendo ratas vivas. Cuando fue liberado empaló a más de 100.000 hombres y realizó un banquete para contemplar su fechoría.

películas de terror?

Miedos medianos

Si se va en una lancha
y el cielo está muy nublado
se teme tormenta; si se va en la
misma lancha cruzando una bahía,
el salto imprevisto de un tiburón a la
proa nos asustaría. ¿Notas la diferencia
entre susto y temor?

Las madres de niños traviesos suelen
decir: «¡Me vas a matar de un susto!»,
pero hasta ahora no hay noticia
de ninguna madre muerta por eso.
¿Te gustan los murciélagos fritos
en salsa de cucarachas?, ¿no?,
seguramente sientes aversión: un temor
—con asco— ante lo que encuentras feo o repugnante.

Otros miedos comunes son el miedo a que nos muerda un perro;
a los ladrones; a la soledad; a ser rechazados; a las inyecciones
de médicos y dentistas y a hablar en público.

**Testimonio de
Candela Benetti,
12 años**

*Todos tenemos algún miedo,
sea a los tiburones, a algún demonio
o a alguna película.
Me da miedo la muerte;
en realidad, la muerte para
las personas viejas no me da miedo
porque a mí me contaron que
las personas «sí o sí» van
a morirse, pero me da impresión
que una persona joven o un chico
muera, de alguna enfermedad
o en un accidente de autos.
Trato de combatir los miedos
y no es difícil, sólo hay que
poner voluntad. Lo primero
que hay que hacer es contarlos.
Hay que hablar con alguien
sobre ellos, o con tus papás
o con algún amigo, y después
hay que hacer lo posible para
que no te afecten; invéntate un
chiste sobre el miedo. Vas a ver
qué fácil es, y te quedas
mucho más tranquilo.*

Sabías que...
La voz o palabra «timidez»
tiene su origen
en la palabra *timidus*,
cuyo significado
era «temeroso».
¿Las personas tímidas
parecen personas
temerosas?

1
2
3
4
5
6
7
8
9
10
11
12
13
14
15
16
17
18
19
20
21
22
23
24
25
26
27
28
29
30
31
32

Mitos y bestias

El mito es un relato que explica, a través de cuentos sencillos, las relaciones que establece el hombre con aquello que lo rodea. Cuando el hombre ignoraba el origen y la causa de los rayos y truenos, inventó al dios supremo, Zeus, y le otorgó el poder de lanzar rayos y truenos a su gusto. Los mitos griegos cuentan con una asombrosa fauna de bichos insólitos destinados a producir miedo.

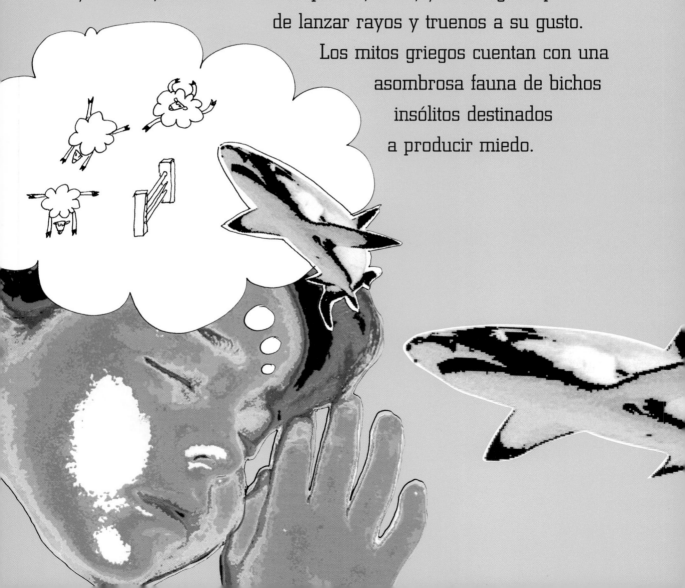

Harpías: eran dos, *Ocípete* (vuelo veloz) y *Aelo* (borrasca). Aves con cabeza de mujer y garras muy afiladas, raptaban almas y niños. Moraban en el mar Egeo o en el infierno.

Esfinge: engendro provisto de alas, con cuerpo de león y rostro de mujer. Vivía en el monte Ficio. A todo el que pasara cerca le proponía un difícil acertijo. Si el transeúnte fallaba en la respuesta, era devorado.

Tifón: más alto que cualquier montaña, con cabezas de serpientes en lugar de dedos, alas y ojos que despedían fuego y víboras. Dicen que esta preciosura alguna vez le ganó una pelea al mismísimo Zeus y le robó los tendones.

Gorgonas: las tres hermanas, llamadas Medusa, Esteno y Euríale, habitaban el confín occidental del mundo; la primera era mortal y las otras dos inmortales. De sus cabezas brotaban serpientes, tenían alas de oro, inmensos colmillos y manos de bronce. Convertían en piedra a aquel que osara mirarlas a los ojos.

Cerbero: el Hades o mundo de los muertos estaba custodiado por este perro. Su misión: impedir que las almas de los vivos entren y que las de los muertos escapen. Se le atribuyen de tres a cien cabezas.

1
2
3
4
5
6
7
8
9
10
11
12
13
14
15
16
17
18
19
20
21
22
23
24
25
26
27
28
29
30
31
32

Habitantes de los cuentos

Desde tiempos inmemoriales,
los cuentos acompañan a aquellos
que se sientan a escucharlos
al calor de las fogatas,
en las plazas de los pueblos
o en sus casas antes de irse
a dormir.
Hay cuentos que invitan al sueño,
pero otros lo ahuyentan.
La oscuridad de la noche nos hace
un poco más espantadizos y cuesta
dormirse ante la loca posibilidad de que una bruja
decida acampar bajo nuestra cama.

Brujas

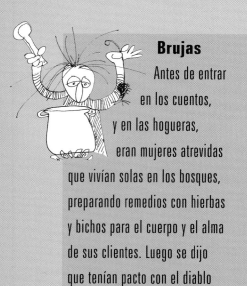

Antes de entrar
en los cuentos,
y en las hogueras,
eran mujeres atrevidas
que vivían solas en los bosques,
preparando remedios con hierbas
y bichos para el cuerpo y el alma
de sus clientes. Luego se dijo
que tenían pacto con el diablo
y se las empezó a quemar vivas.

Sirenas

Provienen de la mitología griega
y son mitad humanas y mitad pez. El
canto de las sirenas del Mediterráneo
es tan dulce y fatal que logra seducir
a los marineros quienes,
hechizados, naufragan y se ahogan
en el mar.

En Argelia existen expertas narradoras de cuentos de ogros. Comienzan por una adivinanza y pasan a las historias fantásticas del ogro y la ogra. Mientras relatan cuentos, las mujeres a su alrededor cosen, los niños atienden y sólo terminan al anochecer. Los asistentes recompensan a la narradora llenando su cesto de alimentos.

Hadas

De estas damiselas, sólo dos variedades pertenecen al reino del miedo:

Mano Blanca: detiene a los viajeros con el solo roce de su mano y si no les provoca la muerte, sí la locura.

Fatas: provienen de Italia. Antiguas y aristocráticas, se presentan como humanos desvalidos y le piden ayuda al paseante. Si se le brinda, lo colmarán de favores; si no...

Duendes

Una versión sostiene que el duende es un niño que murió sin bautizo o que le pegó a su madre y debe pagar carísimo estos pecados. Es muy pequeño, llora como un bebé y tiene una mano de hierro y otra de lana.

Si encuentra a un humano, le pregunta con cuál mano desea ser golpeado; si la respuesta es la indiferencia golpea con la de hierro; si contesta que con la de lana, eso hace, ¡y esa es la que más duele!

Ogros

Provienen de los *orcos*, una divinidad infernal. Son feísimos, fuertes, gigantescos y poco inteligentes, con uñas largas y cejas pobladas. Se la pasan muy bien husmeando habitaciones y exclamando «¡Aquí huele a carne humana!», y mejor si pueden devorarla. Habitan en cavernas o palacios subterráneos.

Conjuros

Todavía no se ha inventado ningún antídoto infalible, pero hay distintos modos de decir «fuera miedo» y uno de ellos es mostrar valor. Tiene valor aquel que no se deja vencer por el peligro, actuando oportunamente con resolución.

El arrojado, en cambio, es imprudente, se lanza al peligro sin medir las consecuencias, sin consultar o detenerse. El que mete la mano en la jaula de un tigre, ¿tiene valor o es arrojado?

Hay quienes rezan, cantan, piensan en alguien querido o inventan fórmulas para alejar al miedo, como este conjuro tradicional para espantar espantos: «Si son muchos, corremos; si son pocos, nos escondemos; y si son ninguno, ¡duro con ellos!»

Después de la tempestad viene la calma

Muchas de las palabras relacionadas con los enemigos del miedo provienen de los navegantes:

Calma: describía la ausencia total de viento para impulsar un barco de vela.

Serenidad: significaba que el cielo estaba sin nubes, apacible y que hacía un tiempo propicio para la navegación.

Ambas palabras describen hoy día más o menos lo mismo, un sentimiento o situación de paz. El miedo tiene buena puntería para hundir nuestros barcos de tranquilidad y perturbarnos.

¿Miedo yo?

Si te encuentras con un gorila verde de 30 metros:
A) le buscas pelea
B) le recomiendas otro tinte de pelo
C) echas a correr

Si te despiertas por una pesadilla:
A) inventas un conjuro para salir del apuro
B) llamas al 800-pesadilla
C) enciendes la lámpara de noche

Si una película te produce terror:
A) te atragantas de palomitas de maíz
B) das un concierto con tus mejores alaridos
C) te tapas los ojos con el bolso de la señora de la butaca más cercana

Luego de sacar tus propias conclusiones, piensa en tus tres miedos más inconfesables y en tres personas a quienes pudieras contárselos.

Palabras clave

Adrenalina: hormona que segrega el organismo en situaciones que representan peligro o amenaza.

Carácter: modo de ser peculiar que tiene cada cual.

Culto: adoración que se rinde a un dios; otro significado es persona dotada de cultura.

Dosis: toma de medicamento que se da a un enfermo cada vez. Porción de una cosa cualquiera.

Emoción: movimiento del alma; agitación del estado de ánimo. Proviene del latín *emovere*, que significa agitar y estimular.

Funcional: situación u objeto práctico.

Hipocampo: estructuras semicirculares del encéfalo que intervienen en el almacenamiento y recuperación de los recuerdos.

Hormona: producto de la secreción interna de ciertos órganos.

Irracionalidad: viene de la palabra «irracional» que significa «opuesto a la razón y al buen juicio».

Sistema límbico: estructura en el cerebro de los mamíferos que controla los instintos de supervivencia básicos.

Referencias clave

Sitios en Internet

- *Cine de terror* www.inicia.es/de/papeles/Seleccion.htm
- *Ficción* www.tele-vicio.com/scripts/70/ficcion/index.asp
- *La casa de Kruela* www.kruela.ciberanika.com/histori.htm
- *Quintadimensión* www.quintadimension.com

Libros

- Alain Crozon. *Adivinanzas de miedo*, Madrid, Ediciones SM, 2000.
- Angela Sommer-Bodenbur. *Historias de miedo*, Barcelona, Círculo de lectores, 1994.
- Bram Stoker. *Drácula*, Madrid, Ediciones Anaya, 2002.
- *Cuentos de miedo*, Barcelona, Juvenil, 2003.
- *Cuentos de terror (I y II)*, Bogotá, Editorial Norma, 1996.
- Edgar Allan Poe. *Historias extraordinarias*, Barcelona, Edebé, 2001.
- Mary Shelley. *Frankenstein o el nuevo Prometeo*, Madrid, Edaf, 2003.
- Mercedes Franco. *Diccionario de fantasmas, misterios y leyendas*, Caracas, Los libros de El Nacional, 2000.
- *Relatos escalofriantes*, Santiago de Chile, Editorial Andrés Bello, 1995.
- Robert Louis Stevenson. *El extraño caso del doctor Jekill y Mister Hyde*, Barcelona, Editorial Andrés Bello, 1998.

Películas y videos

- *Nosferatu* (*Nosferatu: Phantom der Nacht*), dirgida por Werner Herzog, 1978.
- *Frankenstein* (*Mary Shelley's Frankenstein*), dirigida por Kenneth Branagh, 1994.
- *Lobo* (*Wolf*), dirigida por Mike Nichols, 1994.
- *Drácula* (*Dracula: dead and loving it*), dirigida por Mel Brooks, 1996.

Si deseas más información, comunícate con ***cylseditores@cantv.net***

Impreso en Colombia